E III

Le siècle de Périclès

Le siècle de Périclès

LA VICTOIRE **GRECQUE DE SALAMINE**, EN 480 AV. J.-C., OBLIGEA LA FLOTTE **PERSE** À REGAGNER SES BASES D'**ASIE MINEURE** ET CONTRAIGNIT SON ARMÉE, QUI AVAIT OCCUPÉ **ATHÈNES**, À SE REPLIER VERS LE NORD.

MAIS CETTE DERNIÈRE NE QUITTA PAS LA **GRÈCE** CAR SES TROUPES S'INSTALLÈRENT EN **THESSALIE**. MALGRÉ LA DÉFAITE, LE ROI **PERSE XERXÈS** NE S'AVOUAIT PAS BATTU.

LE COMMANDANT DES TROUPES ÉTAIT LE GÉNÉRAL **MARDONIOS**, QUI ESSAYA D'AFFAIBLIR LA CONFÉDÉRATION **GRECQUE** PAR DES MANŒUVRES DIPLOMATIQUES...

... MAIS **ATHÈNES**, **SPARTE** ET LA PLUPART DES POLIS ALLIÉES RESTÈRENT UNIES SOUS LE COMMANDEMENT DU **SPARTIATE PAUSANIAS**, NEVEU DE **LÉONIDAS**, LE HÉROS DES **THERMOPYLES**.

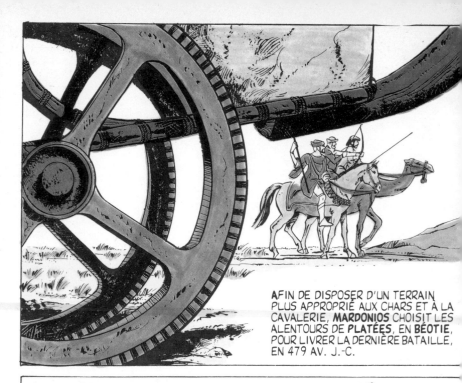

AFIN DE DISPOSER D'UN TERRAIN PLUS APPROPRIÉ AUX CHARS ET À LA CAVALERIE, **MARDONIOS** CHOISIT LES ALENTOURS DE **PLATÉES**, EN **BÉOTIE**, POUR LIVRER LA DERNIÈRE BATAILLE, EN 479 AV. J.-C.

LES DONNÉES LES PLUS DIGNES DE FOI PARLENT D'UN AFFRONTEMENT DE 80 000 HOMMES À **PLATÉES**; DONT 50 000 COMPOSAIENT L'ARMÉE **PERSE**.

4

POURTANT, LA SUPÉRIORITÉ NUMÉRIQUE NE PUT AVOIR RAISON DU TALENT MILITAIRE DE **PAUSANIAS** NI DU COURAGE DE SES SOLDATS, SURTOUT DES **SPARTIATES** : AINSI LA VICTOIRE REVINT-ELLE À NOUVEAU AUX **GRECS**.

LA BATAILLE DE **PLATÉES** DÉTERMINA LA DÉFAITE **PERSE**. LE GÉNÉRAL **MARDONIOS** Y TROUVA LA MORT, AINSI QUE DES MILLIERS DE SOLDATS.

LES SOLDATS **PERSES** QUI RÉUSSIRENT À SE SAUVER À **PLATÉES** S'ENFUIRENT DU TERRITOIRE **GREC**.

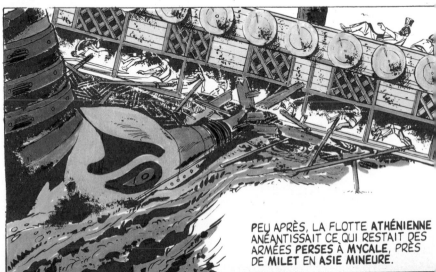

PEU APRÈS, LA FLOTTE **ATHÉNIENNE** ANÉANTISSAIT CE QUI RESTAIT DES ARMÉES **PERSES** À **MYCALE**, PRÈS DE **MILET** EN **ASIE MINEURE**.

SOUTENUES PAR **ATHÈNES**, QUELQUES VILLES ET ÎLES DE CETTE CONTRÉE SE LIBÉRÈRENT DU JOUG DES **PERSES**, QUI LES AVAIENT OCCUPÉES PENDANT 70 ANS...

... ET LA **GRÈCE** RÉCUPÉRA LES ROUTES QUI MENAIENT À LA **MER NOIRE**, DONT LES RICHES COLONIES AGRICOLES AVAIENT APPARTENU AUTREFOIS À **ATHÈNES** ET À SES ALLIÉES.

DE MÊME QUE LA VICTOIRE DE **PLATÉES** FUT LE FAIT DES **SPARTIATES**, LES BATAILLES NAVALES SUIVANTES FURENT REMPORTÉES PAR LES **ATHÉNIENS**.

MALGRÉ CES SUCCÈS MARITIMES, **SPARTE** QUITTA LA CONFÉDÉRATION **GRECQUE**.

SPARTE N'AVAIT PAS DE GRANDS INTÉRÊTS OUTRE-MER ET, APRÈS L'EXPULSION DES **PERSES** DE LA PÉNINSULE, ELLE PRÉFÉRA RENFORCER SON INFLUENCE DANS LE **PÉLOPONNÈSE**.

EN REVANCHE, **ATHÈNES** DÉPENDAIT DU COMMERCE EXTÉRIEUR ET DEVAIT DONC METTRE FIN À LA DOMINATION **PERSE** SUR LES ÎLES ET LES VILLES CÔTIÈRES DE LA **MER ÉGÉE**.

EN 477 AV. J.-C., POUR CONTINUER PLUS EFFICACEMENT LA LUTTE CONTRE LES **PERSES**, **ATHÈNES** ET D'AUTRES POLIS DE LA PÉNINSULE FORMÈRENT LA **LIGUE DE DELOS**.

L'**ATHÉNIEN ARISTIDE**, MILITAIRE ET POLITICIEN BRILLANT, QUI APPARTENAIT AU **PARTI ARISTOCRATIQUE**, SE DISTINGUA DANS L'ADMINISTRATION ET LA DIRECTION DE CETTE **LIGUE**.

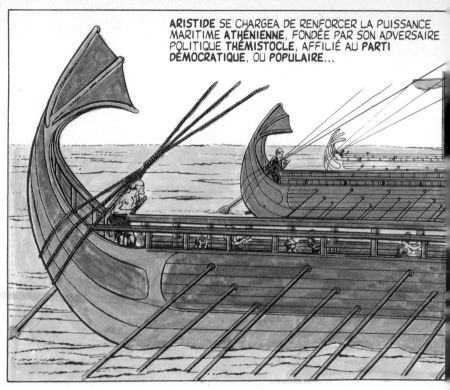

ARISTIDE SE CHARGEA DE RENFORCER LA PUISSANCE MARITIME **ATHÉNIENNE**, FONDÉE PAR SON ADVERSAIRE POLITIQUE **THÉMISTOCLE**, AFFILIÉ AU **PARTI DÉMOCRATIQUE**, OU **POPULAIRE**...

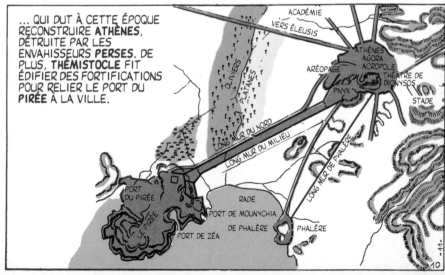

... QUI DUT À CETTE ÉPOQUE RECONSTRUIRE **ATHÈNES**, DÉTRUITE PAR LES ENVAHISSEURS **PERSES**. DE PLUS, **THÉMISTOCLE** FIT ÉDIFIER DES FORTIFICATIONS POUR RELIER LE PORT DU **PIRÉE** À LA VILLE.

ACADÉMIE
VERS ÉLEUSIS
ATHÈNES
AGORA
ACROPOLE
OLIVIERS
PLATANES
ARÉOPAGE
THÉÂTRE DE DIONYSOS
PNYX
STADE
LONG MUR DU NORD
LONG MUR DU MILIEU
LONG MUR DE PHALÈRE
PORT DU PIRÉE
LE PIRÉE
RADE
PORT DE MOUNYCHIA
DE PHALÈRE
PHALÈRE
PORT DE ZÉA

PARMI LES FORCES ARMÉES **ATHÉNIENNES**, L'IMPORTANCE DE LA FLOTTE AUGMENTAIT AU FUR ET À MESURE DES INTÉRÊTS MARITIMES.

LA MAJORITÉ DES MARINS **ATHÉNIENS** ÉTAIENT DES CITOYENS PAUVRES (**THÈTES**) ; NE POUVANT PAYER LE PRIX ÉLEVÉ DE L'ÉQUIPEMENT DES SOLDATS DE L'ARMÉE DE TERRE, ILS ÉTAIENT RECRUTÉS POUR LA NAVIGATION ET LA RAME.

11

COMME LA FLOTTE, LES **THÈTES** GAGNÈRENT EN IMPORTANCE ET EN PRESTIGE, EN MÊME TEMPS QUE LE PARTI DÉMOCRATIQUE, AUQUEL PRESQUE TOUS APPARTENAIENT.

MAIS, EN 471 AV. J.-C., LE PARTI ARISTOCRATIQUE OBTINT LA CONDAMNATION À L'**OSTRACISME** (EXIL DE DIX ANS SANS DÉSHONNEUR NI CONFISCATION DE BIENS) DE **THÉMISTOCLE**, CHEF DU PARTI DÉMOCRATIQUE...

... ET PERSONNAGE DÉTERMINANT EN TANT QUE POLITICIEN ET STRATÈGE DES OPÉRATIONS QUI MENÈRENT À LA VICTOIRE DE **SALAMINE**.

ARISTIDE MOURUT DEUX ANS APRÈS, ET LE COMMANDEMENT DES FORCES DE LA **LIGUE DE DELOS** PASSA À **CIMON**, FILS DE **MILTIADE**, GÉNÉRAL DES **GRECS** À LA VICTOIRE DE **MARATHON**.

POURSUIVANT LA POLITIQUE D'**ARISTIDE**, **CIMON** ENTREPRIT UNE SÉRIE DE BATAILLES SUR MER ET SUR TERRE...

... CONTRE LES **PERSES**, QUI OCCUPAIENT ENCORE LES CÔTES DE LA **THRACE**, LA PÉNINSULE CHALCIDIQUE ET DE NOMBREUSES ÎLES DE LA **MER ÉGÉE**.

UNE SUITE DE VICTOIRES ATTEIGNIT SON POINT CULMINANT DANS L'ARRIVÉE À L'EMBOUCHURE DU FLEUVE **EURYMIDON**. LE CONTRÔLE DE LA **MER ÉGÉE** ET DES CÔTES D'**ASIE MINEURE** PASSA AU POUVOIR DE LA **LIGUE DE DELOS**.

14

ATHÈNES JOUA À L'INTÉRIEUR DE LA LIGUE LE RÔLE PRINCIPAL : SA FLOTTE FUT L'ÉLÉMENT GUERRIER PRIMORDIAL ET ELLE AVAIT LA DIRECTION DE LA CONFÉDÉRATION...

... IL ÉTAIT DONC NORMAL QU'ELLE REÇÛT LE PLUS GRAND BÉNÉFICE DE CES VICTOIRES.

MAIS PEU À PEU LA **LIGUE DE DELOS** — QUI FUT CRÉÉE EN TANT QU'ALLIANCE D'ÉTATS **GRECS** SOUVERAINS — DEVINT UN INSTRUMENT POLITIQUE D'**ATHÈNES**.

LE TRÉSOR AUQUEL CONTRIBUAIENT LES MEMBRES DE LA **LIGUE** FUT TRANSFÉRÉ DU **TEMPLE D'APOLLON**, DANS L'ÎLE DE **DELOS**, À **ATHÈNES** MÊME.

LES **ATHÉNIENS** IMPOSÈRENT À LEURS ALLIÉS LA PERPÉTUITÉ DU TRAITÉ ; LA DIRECTION DE LA **LIGUE**, ASSUMÉE PAR UN **CONSEIL** DE SES MEMBRES, PASSA À L'**ECCLESIA ATHÉNIENNE**.

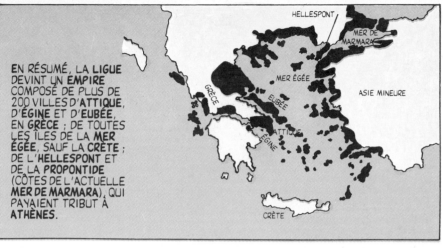

EN RÉSUMÉ, LA **LIGUE** DEVINT UN **EMPIRE** COMPOSÉ DE PLUS DE 200 VILLES D'**ATTIQUE**, D'**ÉGINE** ET D'**EUBÉE**, EN **GRÈCE** ; DE TOUTES LES ÎLES DE LA **MER ÉGÉE**, SAUF LA **CRÈTE** ; DE L'**HELLESPONT** ET DE LA **PROPONTIDE** (CÔTES DE L'ACTUELLE **MER DE MARMARA**), QUI PAYAIENT TRIBUT À **ATHÈNES**.

S'Y AJOUTAIENT LES **CLÉROUQUIES**, COLONIES FONDÉES PAR **ATHÈNES** EN DES POINTS STRATÉGIQUES ET FORMÉES DE CITOYENS **ATHÉNIENS**, VÉRITABLES GARDIENS DE L'**EMPIRE**.

ATHÈNES, DONT LA PUISSANCE ÉTAIT ANIMÉE PAR UNE FLOTTE IMPOSANTE, ÉTAIT L'UNE DES FORCES PRÉDOMINANTES DE L'**HELLADE** DU Ve SIÈCLE AV. J.-C.

L'AUTRE ÉTAIT **SPARTE**, AVEC SON ARMÉE, À LA TÊTE DE LA **LIGUE DU PÉLOPONNÈSE**. TOUTES DEUX PARLAIENT LA MÊME LANGUE, ADORAIENT LES MÊMES DIEUX ET VÉNÉRAIENT LES HÉROS D'**HOMÈRE**. MAIS LEURS IDÉES POLITIQUES ET LEURS GOUVERNEMENTS, AINSI QUE LEURS INTÉRÊTS, ÉTAIENT DIFFÉRENTS.

DANS CE CONTEXTE HISTORIQUE SURGIT UNE PERSONNALITÉ POLITIQUE AU RAYONNEMENT SI GRAND QU'ELLE DONNA SON NOM À SON ÉPOQUE : **PÉRICLÈS**. 18

PÉRICLÈS NAQUIT EN 495 AV. J.-C. ET, COMME TOUS LES **ATHÉNIENS** DE SA CLASSE SOCIALE, IL REÇUT UNE ÉDUCATION SOIGNÉE.

SES PARENTS ÉTAIENT CÉLÈBRES : **XANTHIPPOS**, VAINQUEUR DE LA BATAILLE DE **MYCALE**, ET **AGARISTÉ**, NIÈCE DE **CLISTHÈNE**, UN DES FONDATEURS DE LA DÉMOCRATIE **ATHÉNIENNE**.

COMME TOUT CITOYEN DE L'**ATHÈNES** D'ALORS,
PÉRICLÈS PARTICIPA TRÈS JEUNE À LA VIE
POLITIQUE, MILITANT DANS LES RANGS DU
PARTI DÉMOCRATIQUE.

UN DES POINTS QUI OPPOSAIENT LES DEUX
PARTIS **ATHÉNIENS** ÉTAIT L'ATTITUDE À
ADOPTER À L'ÉGARD DE **SPARTE** ; LES
DÉMOCRATES VOYAIENT AVEC MÉFIANCE
L'EXPANSION TERRITORIALE DE LA
LIGUE DU PÉLOPONNÈSE...

... TANDIS QUE LES
ARISTOCRATES PROPOSAIENT DE
CÉDER À **SPARTE** L'HÉGÉMONIE
DU CONTINENT ET DE GARDER POUR
ATHÈNES LA DOMINATION SUR LES
COLONIES D'OUTRE-MER.

20

EN 464 AV. J.-C., DEUX CATASTROPHES SUCCESSIVES ANÉANTIRENT **SPARTE** : UN VIOLENT TREMBLEMENT DE TERRE ET UNE NOUVELLE RÉVOLTE DES **HILOTES** DE **MESSÉNIE**.

LES CONSÉQUENCES DU SÉISME FURENT SI GRAVES QUE LES **SPARTIATES** NE PURENT MATER QU'EN PARTIE LA RÉVOLTE **MESSÉNIENNE** ET DURENT SE RÉSOUDRE À DEMANDER DE L'AIDE À **ATHÈNES**.

COMME IL FALLAIT S'Y ATTENDRE, LES **ATHÉNIENS** ÉTAIENT DIVISÉS.

ÉPHIALTÈS, CHEF DU PARTI DÉMOCRATIQUE, S'OPPOSAIT À LA REQUÊTE DE **SPARTE**...

... TANDIS QUE **CIMON**, LEADER DU PARTI ARISTOCRATIQUE, APPUYAIT L'ENVOI DE SECOURS MILITAIRES À SES VOISINS.

CIMON, DONT TOUT LE MONDE SE RAPPELAIT LES RÉCENTES VICTOIRES SUR LES PERSES, GAGNA LA PARTIE.
4 000 SOLDATS, SOUS LE COMMANDEMENT DE CE MÊME CIMON, PARTIRENT POUR SPARTE.

PENDANT L'ABSENCE DE CIMON, ÉPHIALTÈS ET SES PARTISANS RÉUSSIRENT À FAIRE APPROUVER D'IMPORTANTS CHANGEMENTS CONSTITUTIONNELS...

... RETIRANT LE POUVOIR À L'ARÉOPAGE (CONSEIL À MAJORITÉ ARISTOCRATIQUE) ET ÉLARGISSANT CELUI DE L'ECCLESIA.

ENTRE-TEMPS, L'EXPÉDITION DE **CIMON** SE TERMINAIT PAR UN ÉCHEC CAR LES **SPARTIATES**, ALARMÉS PAR L'ASCENSION DU PARTI DÉMOCRATIQUE À **ATHÈNES**, LUI ORDONNÈRENT DE RENTRER.

QUAND LA NOUVELLE PARVINT À **ATHÈNES**, ON RESSENTIT L'ATTITUDE DES **SPARTIATES** COMME UNE OFFENSE...

... ET LE PARTI DÉMOCRATIQUE L'EXPLOITA POUR DISCRÉDITER SES RIVAUX, RESPONSABLES DE L'AIDE FOURNIE À **SPARTE**.

EN CONSÉQUENCE, ON CONDAMNA **CIMON** À L'OSTRACISME, ET LES RÉFORMES CONSTITUTIONNELLES D'**ÉPHIALTÈS** SE CONSOLIDÈRENT, RENFORÇANT LA CONCEPTION DÉMOCRATIQUE DE L'ÉTAT.

LES LUTTES POLITIQUES À **ATHÈNES** ATTEIGNIRENT DES SOMMETS DRAMATIQUES. VERS 460 AV. J.-C., **ÉPHIALTÈS** FUT ASSASSINÉ DANS UN OBSCUR ATTENTAT.

LA MORT D'**ÉPHIALTÈS** FIT QUE **PÉRICLÈS** PRIT LA DIRECTION DU
PARTI DÉMOCRATIQUE.

PÉRICLÈS DEVINT L'HOMME D'ÉTAT ATHÉNIEN
LE PLUS IMPORTANT DE SON ÉPOQUE : IL DIRIGEA
LE PAYS JUSQU'À SA MORT, EN 429 AV. J.-C.

ORATEUR EXCEPTIONNEL,
CONVAINCANT ET PERSUASIF,
SES DISCOURS INFLUENÇAIENT
LES DÉCISIONS DE L'**ECCLESIA**
MÊME DANS LES PLUS
ÂPRES DÉBATS.

PÉRICLÈS PROPOSA DE CONTINUER LES OPÉRATIONS CONTRE LE **GRAND EMPIRE D'ORIENT**.

EN 459 AV. J.-C., ON DÉCIDA D'ENVOYER UNE EXPÉDITION MILITAIRE POUR SOUTENIR L'**ÉGYPTE**, QUI S'ÉTAIT RÉVOLTÉE CONTRE LES **PERSES**.

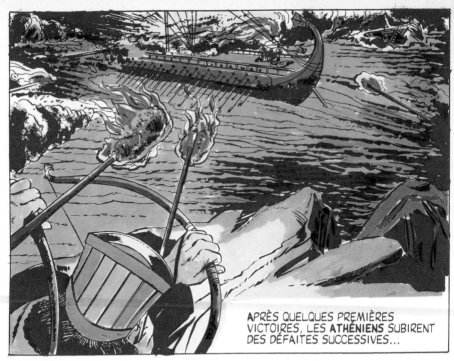

APRÈS QUELQUES PREMIÈRES VICTOIRES, LES **ATHÉNIENS** SUBIRENT DES DÉFAITES SUCCESSIVES...

... ET LA CAMPAGNE SE TERMINA PAR UN ÉCHEC TOTAL, EN 454 AV. J.-C., AVEC DE GRANDES PERTES EN VIES HUMAINES, EN BATEAUX ET EN ARMEMENT.

MAIS TROIS ANS PLUS TARD, L'**ATHÈNES** DE **PÉRICLÈS** ESSAYA D'ATTAQUER À NOUVEAU LES **PERSES**, QUI OCCUPAIENT L'ÎLE DE **CHYPRE**. CETTE FOIS, LE COMMANDEMENT ÉCHUT À **CIMON**, QUI ÉTAIT RENTRÉ D'EXIL.

CIMON NE PUT ATTEINDRE SES OBJECTIFS CAR IL MOURUT DE MALADIE PENDANT LA CAMPAGNE...

... QUI, POURTANT, S'ACHEVA PAR UNE VICTOIRE IMPORTANTE POUR **ATHÈNES**.

29

DÈS LORS, ON COMMENÇA LES NÉGOCIATIONS POUR INSTAURER LA PAIX ENTRE LA **PERSE** ET **ATHÈNES** AINSI QUE SES ALLIÉS.

LES ACCORDS ATTEIGNIRENT LEUR POINT CULMINANT DANS LA SIGNATURE, EN 449 AV. J.-C., DE LA **PAIX DE CALLIAS**, QUI METTAIT FIN AUX **GUERRES MÉDIQUES** APRÈS UN DEMI-SIÈCLE D'AFFRONTEMENTS.

30

LA RAISON QUI AVAIT POUSSÉ À CRÉER LA **LIGUE DE DELOS** FUT LA GUERRE CONTRE LA **PERSE** ; UNE FOIS LA PAIX SIGNÉE, LA **LIGUE** N'AVAIT PLUS DE SENS. POURTANT, LORSQUE CERTAINS DE SES MEMBRES VOULURENT LA QUITTER...

... COMME **THASOS**, **SAMOS**, **EUBÉE** ET D'AUTRES, **ATHÈNES** LANÇA CONTRE ELLES TOUTES SES FORCES AFIN DE LES OBLIGER À RESTER SOUS SON AUTORITÉ.

BIEN QU'À L'ÉPOQUE **ATHÈNES** ET **SPARTE** NE FUSSENT PAS OUVERTEMENT EN GUERRE, L'UNE ET L'AUTRE SOUTINRENT LES ENNEMIS DE SA RIVALE JUSQU'À PROVOQUER UN CONFLIT.

CONSCIENTS DE CETTE SITUATION, LES DEUX GRANDS ADVERSAIRES **GRECS** SIGNÈRENT EN 446 AV. J.-C. UN TRAITÉ QUI, À CAUSE DE SON IMPORTANCE, FUT APPELÉ **PAIX DE TRENTE ANS**.

LA POLITIQUE INTÉRIEURE DU GOUVERNEMENT DE **PÉRICLÈS** RENFORÇA LES PRINCIPES DÉMOCRATIQUES EN AUGMENTANT LE POUVOIR DE L'**ECCLESIA**, DU **CONSEIL DES CINQ-CENTS** (L'ANCIEN BOULÊ DES 400)...

..., ET DU **TRIBUNAL DES HÉLIASTES**, AUXQUELS ON CONFIA LE POUVOIR JUDICIAIRE, ENCORE AUX MAINS DES **ARCHONTES**, QUI APPARTENAIENT GÉNÉRALEMENT À LA NOBLESSE.

ON DÉCIDA AUSSI DE RÉTRIBUER LES CHARGES PUBLIQUES.

JUSQU'ALORS, CES FONCTIONS AVAIENT ÉTÉ EXERCÉES PAR DES CITOYENS FORTUNÉS ; LES NOUVELLES MESURES ENCOURAGÈRENT LES CITOYENS SANS RESSOURCES À OCCUPER DES POSTES PUBLICS, CAR LEUR SALAIRE, MÊME MODESTE, SUFFISAIT À LEURS BESOINS.

MAIS LA CITOYENNETÉ ÉTAIT TOUJOURS LE PRIVILÈGE DES NATIFS D'**ATHÈNES** ET DES ENFANTS DE PARENTS **ATHÉNIENS** ; COMME PAR LE PASSÉ, LES **MÉTÈQUES** – ET DONC AUSSI LES **ESCLAVES** – N'AVAIENT AUCUN DROIT POLITIQUE.

LA PROSPÉRITÉ DURA TOUT
LE TEMPS DE **PÉRICLÈS** ;
ELLE ÉTAIT DUE À
L'IMMENSE **EMPIRE
MARITIME** QUI FIT
D'**ATHÈNES** LE CENTRE
ÉCONOMIQUE DE L'**HELLADE**.

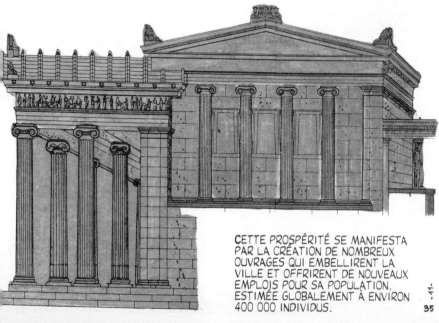

CETTE PROSPÉRITÉ SE MANIFESTA
PAR LA CRÉATION DE NOMBREUX
OUVRAGES QUI EMBELLIRENT LA
VILLE ET OFFRIRENT DE NOUVEAUX
EMPLOIS POUR SA POPULATION,
ESTIMÉE GLOBALEMENT À ENVIRON
400 000 INDIVIDUS.

-11-

LES **CLÉROUQUIES** FURENT AUSSI UNE AUTRE SOURCE
DE PROMOTION POUR LES CITOYENS MODESTES : CEUX
QUI S'Y ÉTABLISSAIENT RECEVAIENT GRATUITEMENT
DES TERRES POUR LES EXPLOITER.

DE PLUS, LES **CLÉROUQUES** NE PERDAIENT PAS
LEURS DROITS POLITIQUES, COMME LES CITOYENS
QUI PARTAIENT DANS D'AUTRES COLONIES
D'OUTRE-MER. EUX-MÊMES ET LEURS DESCENDANTS
LES RETROUVAIENT QUAND ILS RENTRAIENT,
PROVISOIREMENT OU DÉFINITIVEMENT, DANS
LA MÉTROPOLIS.

LE DÉVELOPPEMENT ÉCONOMIQUE ET POLITIQUE D'**ATHÈNES** S'ACCOMPAGNA D'UNE ÉVOLUTION CULTURELLE D'UNE TELLE AMPLEUR QUE L'ÉPOQUE RECEVRA LE NOM DE **SIÈCLE D'OR** OU **SIÈCLE DE PÉRICLÈS**, BIEN QUE CETTE MAGNIFICENCE CONTINUÂT APRÈS LA MORT DE PÉRICLÈS.

EN EFFET, DÈS LE MILIEU DU Ve SIÈCLE JUSQU'À LA MOITIÉ DU SIÈCLE SUIVANT, **ATHÈNES** DONNA OU ATTIRA DES HOMMES DE TALENT TEL QUE LA CIVILISATION **GRECQUE** ATTEIGNIT SON DEGRÉ DE RAYONNEMENT LE PLUS ÉLEVÉ.

D'IMPOSANTES CONSTRUCTIONS EMBELLIRENT LA VILLE, COMME LE **PARTHÉNON**, ŒUVRE DE **PHIDIAS** ASSISTÉ DES ARCHITECTES **ICTINOS** ET **CALLICRATÈS**. ENTIÈREMENT CONSTRUIT EN MARBRE, AVEC UN PÉRIMÈTRE DE 70X30 MÈTRES, LE **PARTHÉNON** FUT ÉDIFIÉ ENTRE 447 ET 438 AV. J.-C., ET IL EXISTE TOUJOURS, SUR LA COLLINE DE L'**ACROPOLE**.

CONSACRÉ À **ATHÉNA**, LE TEMPLE RENFERMAIT UNE STATUE DE LA DÉESSE EN OR ET EN IVOIRE, HAUTE DE 10 MÈTRES ; ELLE FUT SCULPTÉE PAR **PHIDIAS**, AUTEUR DES BAS-RELIEFS TAILLÉS SUR LES FRISES DE L'ÉDIFICE.

PRAXITÈLE, POLYCLÈTE ET MYRON FURENT D'AUTRES GRANDS SCULPTEURS. LE DERNIER EXÉCUTA LE **DISCOBOLE**, OUVRAGE DONT LES DÉTAILS ANATOMIQUES ET L'ATTITUDE SUGGÈRENT LE MOUVEMENT DE L'ATHLÈTE REPRÉSENTÉ.

ATHÈNES AVAIT DEUX GRANDS THÉÂTRES, L'UN POUR LES SPECTACLES (DANSE, CHANT, MUSIQUE), APPELÉ **ODÉON**, ET L'AUTRE POUR LA REPRÉSENTATION DES **TRAGÉDIES** ET DES **COMÉDIES**.

ESCHYLE (VERS 525-456 AV. J.-C.), **SOPHOCLE** (VERS 496-406 AV. J.-C.) ET **EURIPIDE** (480-406 AV. J.-C.) SE DISTINGUÈRENT EN TANT QU'AUTEURS DE **TRAGÉDIES**, OÙ ILS FAISAIENT REVIVRE LES ÉVÉNEMENTS **GRECS** HISTORIQUES OU LÉGENDAIRES...

... TANDIS QU'**ARISTOPHANE** (VERS 445-388 AV. J.-C.) ET SON CONTEMPORAIN **CRATINOS** FAISAIENT DANS LEURS **COMÉDIES** LA SATIRE DES COUTUMES ET DES PERSONNAGES DE L'ÉPOQUE, Y COMPRIS DE L'ILLUSTRE **PÉRICLÈS** LUI-MÊME ET D'AUTRES PERSONNALITÉS.

LES ACTEURS ÉTAIENT AU NOMBRE DE DEUX OU TROIS ET REPRÉSENTAIENT LES DIFFÉRENTS PERSONNAGES (HOMMES ET FEMMES) EN CHANGEANT LES MASQUES QUI RECOUVRAIENT LEURS VISAGES AINSI QUE LES VÊTEMENTS.

UN **CHŒUR** DE DOUZE OU QUINZE ACTEURS COMPLÉTAIT LE TOUT EN COMMENTANT LES FAITS DRAMATIQUES OU EN DIALOGUANT AVEC LES PROTAGONISTES.

LES SPECTATEURS POUVAIENT ÊTRE AU NOMBRE DE 25 000, CE QUI MONTRE QUE LES THÉÂTRES AVAIENT UNE EXCELLENTE ACOUSTIQUE QUI PERMETTAIT À TOUS D'ENTENDRE LES ACTEURS.

LES REPRÉSENTATIONS FAISAIENT PARTIE DES CÉRÉMONIES RELIGIEUSES ET CIVIQUES, TRÈS FRÉQUENTES À **ATHÈNES** CAR, SELON LES MOTS ATTRIBUÉS À **PÉRICLÈS**, « NOUS Y TROUVONS DU PLAISIR JOUR APRÈS JOUR ET ELLES NOUS AIDENT À DISSIPER LA MÉLANCOLIE ».

À L'OCCASION DES SEULES CÉLÉBRATIONS ANNUELLES APPELÉES **GRANDES DIONYSIES**, DIX-SEPT TRAGÉDIES ET COMÉDIES ÉTAIENT CHOISIES POUR Y ÊTRE REPRÉSENTÉES.

42

BIEN QU'IL N'EN SOIT PAS RESTÉ DE TÉMOIGNAGES, LES ÉCRITS DE L'ÉPOQUE FONT L'ÉLOGE DE LA PEINTURE, DONT LES GRANDS MAÎTRES FURENT **APOLLODORE, PARRHASIOS** ET, SURTOUT, **POLYGNOTE DE THASOS.**

À LA MÊME ÉPOQUE, LA PHILOSOPHIE – LITTÉRALEMENT **AMOUR DE LA SAGESSE** – DÉVELOPPAIT DES THÉORIES SUR L'UNIVERS, SUR L'ÂME ET LE DESTIN DE L'HOMME : CELLES-CI TENTAIENT DE RÉPONDRE AUX QUESTIONS QUI INQUIÉTÈRENT DEPUIS TOUJOURS L'HUMANITÉ.

POUR **SOCRATE**, PAR EXEMPLE, LE BUT DE TOUTE PHILOSOPHIE ÉTAIT LA CONNAISSANCE DE L'HOMME, COMME IL LE DIT DANS SA MAXIME « CONNAIS-TOI TOI-MÊME ! »

SOCRATE NE LAISSA PAS D'ÉCRITS ; IL EXPRIMA SA PENSÉE SOUS FORME DE DIALOGUES AVEC D'AUTRES PHILOSOPHES OU AVEC SES DISCIPLES ; L'UN D'EUX, **PLATON**, LES RECUEILLIT DANS PLUSIEURS TEXTES QU'IL INTITULA PRÉCISÉMENT **DIALOGUES**.

DANS SES ŒUVRES « LA RÉPUBLIQUE » ET « LES LOIS », **PLATON** EXPRIMA SON OPPOSITION À LA **DÉMOCRATIE**, AFFIRMANT QUE L'**ÉTAT** IDÉAL DEVAIT ÊTRE GOUVERNÉ PAR UN PETIT NOMBRE D'ILLUSTRES PENSEURS.

BIEN QUE NÉ EN **MACÉDOINE**, **ARISTOTE** ASSISTA AUX COURS DONNÉS PAR **PLATON** À L'**ACADÉMIE**, APPELÉE AINSI PARCE QU'ELLE SE TROUVAIT DANS UN PARC D'**ATHÈNES** DU MÊME NOM.

ARISTOTE S'INTÉRESSERA PLUS TARD À L'ASTRONOMIE, LA ZOOLOGIE, LA BOTANIQUE, LA PHYSIQUE, LA POLITIQUE, ETC., CHERCHANT À EMBRASSER TOUT LE SAVOIR DE L'ÉPOQUE, SELON UNE MÉTHODE VÉRITABLEMENT ENCYCLOPÉDIQUE.

NOMBREUSES FURENT LES PERSONNALITÉS QUI CONTRIBUÈRENT À LA GLOIRE DU **SIÈCLE D'OR** DE LA CIVILISATION **GRECQUE**, ET NOUS NE POUVONS LES NOMMER TOUTES... 45

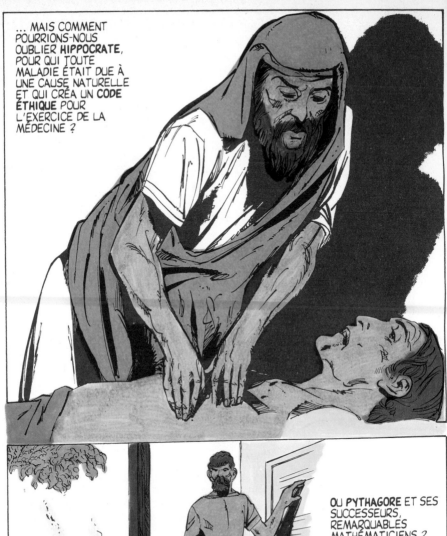

... MAIS COMMENT POURRIONS-NOUS OUBLIER **HIPPOCRATE**, POUR QUI TOUTE MALADIE ÉTAIT DUE À UNE CAUSE NATURELLE ET QUI CRÉA UN **CODE ÉTHIQUE** POUR L'EXERCICE DE LA MÉDECINE ?

OU **PYTHAGORE** ET SES SUCCESSEURS, REMARQUABLES MATHÉMATICIENS ? OU ENCORE **HÉRODOTE**, **THUCYDIDE** ET **XÉNOPHON**, VÉRITABLES PÈRES DE L'**HISTOIRE** ?

C'EST À TOUS CES PENSEURS, ARTISTES ET SAVANTS REMARQUABLES QUE NOUS DEVONS LES FONDEMENTS DE CE QUE NOUS CONSIDÉRONS AUJOURD'HUI COMME LA **CIVILISATION OCCIDENTALE.**

AMOUREUX DE LA LIBERTÉ, DE L'ART, DE LA CONVERSATION ET DES SPORTS, LES CITOYENS DE L'**ATHÈNES DE PÉRICLÈS** VÉCURENT TRÈS MODESTEMENT, MÊME LES PLUS RICHES.

LEURS MAISONS ÉTAIENT EN BOIS OU EN BRIQUE.

LA NOURRITURE DE BASE ÉTAIT CONSTITUÉE PAR LES CÉRÉALES, LES LÉGUMES, LES PLANTES POTAGÈRES ET LES POISSONS, COMPLÉTÉS PAR LES OLIVES, LES FIGUES ET D'AUTRES FRUITS.

LA VIANDE, BÉTAIL DOMESTIQUE OU GIBIER, ÉTAIT UN PLAT RARE, RÉSERVÉ AUX JOURS DE CÉRÉMONIES OU AUX ÉVÉNEMENTS EXCEPTIONNELS.

À **ATHÈNES**, COMME DANS PRESQUE TOUTES LES CITÉS **GRECQUES**, L'ÉDUCATION N'ÉTAIT PAS GRATUITE NI OBLIGATOIRE. LES FAMILLES AISÉES PAYAIENT UN MAÎTRE.

LES ENFANTS APPRENAIENT À LIRE ET À ÉCRIRE À PARTIR SURTOUT DES POÈMES D'**HOMÈRE**.

L'ÉLOQUENCE FAISAIT PARTIE DE L'ENSEIGNEMENT, DANS UNE SOCIÉTÉ OÙ L'ACTIVITÉ POLITIQUE ÉTAIT GÉNÉRALE ET EXERCÉE DANS DES ORGANISMES DÉLIBÉRATIFS.

ADOLESCENTS, LES
GARÇONS COMMENÇAIENT
LA PRATIQUE DES SPORTS:
LA LUTTE, LA BOXE, LA
COURSE, LE LANCEMENT
DU DISQUE ET LE
JAVELOT...

... QUI LES PRÉPARAIENT À PARTICIPER AUX
COMPÉTITIONS, SURTOUT AUX **OLYMPIADES** OÙ
SE MESURAIENT DES ATHLÈTES DE TOUTE LA
GRÈCE ET QUI AVAIENT LIEU TOUS LES
QUATRE ANS.

EN REVANCHE, L'ÉDUCATION DES FILLES **GRECQUES** SE
LIMITAIT AUX TÂCHES DOMESTIQUES, À LA MUSIQUE ET LA
DANSE, PUISQUE LE FOYER ÉTAIT LE CENTRE
DE LEURS ACTIVITÉS.

MALGRÉ LA SPLENDEUR **ATHÉNIENNE**, LA POLARISATION DU POUVOIR EN **HELLADE** DEVINT PLUS AIGUË CAR ELLE POUSSAIT LE RESTE DES POLIS VERS L'UN OU L'AUTRE EXTRÊME : **SPARTE** OU **ATHÈNES**.

L'ÉCONOMIE TOUT COMME LE SYSTÈME POLITIQUE DE CES POLIS DÉCIDAIENT DU CHOIX. LES CONCURRENTES COMMERCIALES D'**ATHÈNES** OU CELLES DU GOUVERNEMENT ARISTOCRATIQUE S'ALLIAIENT À **SPARTE**.

ALORS QUE CELLES QUI JOUISSAIENT D'UN GOUVERNEMENT PLUS LIBÉRAL OU QUI CRAIGNAIENT LA PUISSANCE MILITAIRE **SPARTIATE** SE TOURNAIENT VERS **ATHÈNES**.

LA PAIX DE **TRENTE ANS**, SIGNÉE EN 446 AV. J.-C., FUT BRISÉE BIEN AVANT TERME PUISQU'EN 431 AV. J.-C. LES DEUX PUISSANCES ET LEURS ALLIÉS...

... ENTRÈRENT DANS LE CONFLIT ARMÉ QUE L'HISTORIEN **THUCYDIDE, ATHÉNIEN** ET CONTEMPORAIN DE L'ÉVÉNEMENT, APPELA LA **GUERRE DU PÉLOPONNÈSE**.

LA LUTTE DURERA VINGT-SEPT ANS, DANS UN LARGE CADRE GÉOGRAPHIQUE QUI COMPRENAIT LA PÉNINSULE **GRECQUE**, LES CÔTES D'**ASIE MINEURE** ET LA **GRANDE-GRÈCE**. LA CARTE INDIQUE LES VILLES ET LES RÉGIONS QUI FORMAIENT LES DEUX CLANS : LES ZONES EN NOIR CONCERNENT LES ALLIÉS D'**ATHÈNES** ; LES ZONES RAYÉES, CEUX DE **SPARTE**.

PÉRICLÈS DÉCIDA DE NE PAS AFFRONTER LES **SPARTIATES** SUR TERRE CAR LEUR ARMÉE ÉTAIT PUISSANTE ET INVINCIBLE. LES **ATHÉNIENS** DES ENVIRONS ABANDONNÈRENT LEURS CHAMPS ET SE RÉFUGIÈRENT DANS LES FORTIFICATIONS D'**ATHÈNES**.

QUAND LES **SPARTIATES** ENVAHIRENT L'**ATTIQUE**, ILS NE RENCONTRÈRENT AUCUNE RÉSISTANCE ET RASÈRENT TOUS LES VILLAGES ET LES CHAMPS ABANDONNÉS. MAIS COMME **ATHÈNES** ÉTAIT DÉFENDUE PAR DE SOLIDES MURAILLES FORTIFIÉES, LES SPARTIATES ARRÊTÈRENT LÀ LEUR OFFENSIVE.

ENTRE-TEMPS, LA PUISSANTE FLOTTE **ATHÉNIENNE**, QUI POUVAIT MANŒUVRER DEPUIS LE PORT FORTIFIÉ DU **PIRÉE**, ATTAQUA ET PILLA LES CHAMPS ET LES VILLES DE LA CÔTE DU **PÉLOPONNÈSE**.

L'ANNÉE SUIVANTE, LES MÊMES OPÉRATIONS SE RÉPÉTÈRENT : LES **SPARTIATES** ENTRÈRENT EN **ATTIQUE** ; LES **ATHÉNIENS** SE RÉFUGIÈRENT DANS LA VILLE.

MAIS UNE ÉPIDÉMIE SE PRODUISIT, QUI AGGRAVA LA SITUATION D'**ATHÈNES**, ALORS QUE LES **SPARTIATES** CAMPAIENT DEVANT SES REMPARTS.

LA PESTE PROVOQUA LA MORT DE MILLIERS DE
PERSONNES DANS **ATHÈNES** SURPEUPLÉE.
EN 429 AV. J.-C., **PÉRICLÈS** LUI-MÊME EN
MOURUT.

MAIS LA TACTIQUE DU GRAND HOMME D'ÉTAT AVAIT
RÉUSSI CAR, MALGRÉ L'ÉPIDÉMIE, SES BATEAUX
CONTINUÈRENT À DÉVASTER LES CÔTES ENNEMIES,
ET LA MÉTROPOLIS À RÉSISTER AUX ATTAQUES
SPARTIATES.

EN 421 AV. J.-C., UNE PAIX PROVISOIRE FUT CONCLUE ENTRE LES DEUX PUISSANCES. DANS LES ANNÉES QUI SUIVIRENT, S'ACCRUT LA PERSONNALITÉ POLITIQUE...

... D'**ALCIBIADE**, JEUNE HOMME CULTIVÉ, INTELLIGENT ET D'UNE GRANDE HABILETÉ ORATOIRE, PARENT DE **PÉRICLÈS** ET DISCIPLE DE **SOCRATE**.

CES QUALITÉS SE TROUVAIENT RENFORCÉES PAR UNE FORTE AMBITION POLITIQUE, QUI L'AMENA À DÉPENSER UNE GROSSE PART DE SA FORTUNE POUR SA CARRIÈRE PUBLIQUE.

ALCIBIADE OBTINT LA DIRECTION DU PARTI DÉMOCRATIQUE. ADOPTANT UNE POLITIQUE EXTÉRIEURE OFFENSIVE, IL PROPOSA DE RECOMMENCER LA GUERRE CONTRE SPARTE.

SON PLAN ÉTAIT D'ENVOYER UNE EXPÉDITION EN MER IONIENNE ET DE CONQUÉRIR SYRACUSE, VILLE RICHE DE LA SICILE.

LE PROJET FUT DISCUTÉ DANS LES ORGANISMES D'ÉTAT AINSI QUE DANS LES RUES ET SUR LES PLACES D'ATHÈNES.

FINALEMENT, LE PLAN FUT APPROUVÉ.
L'EXPÉDITION, SOUS LE COMMANDEMENT
D'**ALCIBIADE**, DE **NICIAS** ET DE **LAMAQUE**, ÉTAIT
FORMÉE D'UNE FLOTTE DE 194 TRIRÈMES (GALÈRES)
AVEC 20 000 HOMMES D'ÉQUIPAGE, 5 000 HOPLITES
ET 1 500 FANTASSINS LÉGERS.

MAIS UN ÉVÉNEMENT — QUI DEVIENDRA PAR LA SUITE UN
FUNESTE PRÉSAGE — ARRIVA AVANT LE DÉPART :
UN MATIN, LES STATUES DU DIEU **HERMÈS** APPARURENT
MUTILÉES.

DEVANT UN SI GRAND
SACRILÈGE, ON
RECHERCHA LES
COUPABLES.

59

L'ACTE DEVINT UNE AFFAIRE POLITIQUE, ET LE TRIBUNAL QUI SIÉGEA DÉCLARA **ALCIBIADE** RESPONSABLE DE L'OFFENSE.

COMME LA FLOTTE ÉTAIT DÉJÀ PARTIE, ON ORDONNA À SON CAPITAINE DE RENTRER À **ATHÈNES** POUR RÉPONDRE AUX ACCUSATIONS.

60

ALORS QU'IL ÉTAIT RAMENÉ DANS LA MÉTROPOLIS,
ALCIBIADE PARVINT À S'ENFUIR ET TROUVA REFUGE
À **SPARTE**, D'OÙ IL CONSPIRA CONTRE **ATHÈNES**.

L'EXPÉDITION DE **SICILE**
RESTA SOUS LE
COMMANDEMENT DE **NICIAS**,
QUI MIT LE SIÈGE DEVANT
SYRACUSE MAIS EN VAIN.
L'APPUI QU'**ATHÈNES**
ESCOMPTAIT DES AUTRES
VILLES DE LA **GRANDE-
GRÈCE** FUT RESTREINT.

DE SON CÔTÉ, **SPARTE** MIT SUR PIED
UNE FLOTTE QU'ELLE ENVOYA AU
SECOURS DE **SYRACUSE**.

LA FLOTTE **ATHÉNIENNE** FUT
ANÉANTIE ET BIEN PEU DE SES
SOLDATS ÉCHAPPÈRENT À LA MORT.
L'EXPÉDITION SE TERMINA PAR UN
DÉSASTRE TOTAL, EN 413 AV. J.-C.

MALGRÉ LES GRANDES PERTES SUBIES À **SYRACUSE, ATHÈNES** POURSUIVIT LE COMBAT CONTRE **SPARTE** ET OBTINT MÊME QUELQUES VICTOIRES IMPORTANTES GRÂCE AUX BATEAUX QU'ELLE AVAIT GARDÉS.

MAIS LES LUTTES POLITIQUES INTERNES QUI OPPOSAIENT CONSTAMMENT LES PARTIS ARISTOCRATIQUE ET DÉMOCRATIQUE, L'AFFAIBLISSAIENT.

ENTRE-TEMPS, **SPARTE** DEMANDA DE L'AIDE AUX **PERSES** POUR CONTINUER LA GUERRE. LE RICHE **EMPIRE ORIENTAL** N'OUBLIAIT PAS SES DÉFAITES DES **GUERRES MÉDIQUES** GRÂCE AUXQUELLES **ATHÈNES** PARVINT À L'EXPULSER DES CÔTES D'**ASIE MINEURE**.

ADOPTANT UNE ATTITUDE COUTUMIÈRE DE LEUR POLITIQUE EXTÉRIEURE, LES **PERSES** SE MONTRÈRENT DISPOSÉS À SECOURIR LES ENNEMIS DE SES ENNEMIS.

LYSANDRE, CHEF MILITAIRE **SPARTIATE**, UTILISA L'OR **PERSE** POUR RENFORCER SA FLOTTE. SON PLAN ÉTAIT D'ATTAQUER LES **ATHÉNIENS** DANS L'HELLESPONT, POINT STRATÉGIQUE INDISPENSABLE À SON RAVITAILLEMENT.

EN 405 AV. J.-C., **LYSANDRE** GAGNA LA BATAILLE NAVALE DE L'**AIGOS-POTAMOS** CONTRE LES **ATHÉNIENS**, QUI FUT DÉCISIVE.

65

ASSIÉGÉE PAR MER ET SUR TERRE, **ATHÈNES** SE REND APRÈS QUELQUES MOIS DE SIÈGE. SON GOUVERNEMENT DÉMOCRATIQUE, DÉJÀ RONGÉ PAR LES LUTTES INTERNES, LA DÉMAGOGIE ET L'OPPORTUNISME S'EFFONDRA AVEC ELLE.

LA POLIS **ATHÉNIENNE** DEVINT UNE VASSALE DE **SPARTE**, TOUT COMME SES COLONIES. CELLES QUI AVAIENT SOUTENU LES **SPARTIATES** DANS L'ESPOIR D'UNE LIBÉRATION, NE FIRENT QUE CHANGER DE MAÎTRE.

PROTÉGÉE PAR L'ARMÉE D'OCCUPATION, L'ARISTOCRATIE S'EMPARA DU POUVOIR DANS TOUTES LES VILLES.

À **ATHÈNES**, LE POUVOIR RESTA AUX MAINS D'UNE MINORITÉ. CE GOUVERNEMENT **OLIGARCHIQUE**, APPELÉ PLUS TARD DES **TRENTE TYRANS**, SE DISTINGUA PAR DE SANGLANTES PERSÉCUTIONS.

HABITUÉS À UN DEGRÉ ÉLEVÉ DE LIBERTÉ, LES **ATHÉNIENS** SE RÉVOLTÈRENT CONTRE LE GOUVERNEMENT DESPOTIQUE PROTÉGÉ PAR LE **SPARTIATE** LYSANDRE.

THRASYBULE, CHEF DE LA RÉBELLION, RÉUSSIT AVEC UNE POIGNÉE DE CITOYENS ET L'APPUI DE LA MAJORITÉ D'ENTRE EUX À RENVERSER LES **TRENTE TYRANS**.

EN 403 AV. J.-C., ASSAILLIE PAR DE GRAVES DIFFICULTÉS POUR MAINTENIR L'HÉGÉMONIE **GRECQUE**, **SPARTE** DUT ACCEPTER LE RÉTABLISSEMENT DE QUELQUES INSTITUTIONS DÉMOCRATIQUES **ATHÉNIENNES**.

L'ÉCHEC DE SA POLITIQUE EXTÉRIEURE ENTRAÎNA LA CHUTE DE **LYSANDRE**. LE IVᵉ SIÈCLE TROUVERA UNE **SPARTE** TÂCHANT DE MAINTENIR SA PRÉCAIRE DOMINATION SUR UNE **GRÈCE** APPAUVRIE PAR LE LOURD TRIBUT PAYÉ LORS DE LA LONGUE **GUERRE DU PÉLOPONNÈSE**.

Le siècle de Périclès
Chronologie

495 AVANT JÉSUS-CHRIST

A Athènes, naissance de *Périclès,* dans une famille aristocratique. L'année d'avant, probablement, était né à Colone, près d'Athènes, un des plus grands poètes tragiques, *Sophocle* (vers 496-406 av. J.-C.).

490 AVANT JÉSUS-CHRIST

Une expédition perse débarque en Attique mais elle est vaincue à Marathon par l'armée athénienne placée sous le commandement de Miltiade.

480 AVANT JÉSUS-CHRIST

Le roi perse Xerxès, à la tête d'une puissante armée, envahit la Grèce. Athènes est prise et incendiée, mais la flotte perse est battue à Salamine par les forces navales grecques commandées par les Athéniens. Cette même année naquirent à Halicarnasse, en Ionie, *Hérodote,* considéré à juste titre comme l'un des « pères de l'Histoire », et à Salamine *Euripide* (480-406 av. J.-C.), un des grands dramaturges grecs.

479 AVANT JÉSUS-CHRIST

Les batailles de Platées et de Mycale, victoires grecques, mettent fin à l'offensive perse. A partir de ce moment, les Grecs prendront toujours l'initiative de la guerre.

477 AVANT JÉSUS-CHRIST

Avec les villes des îles et des côtes de la Mer Egée, Athènes forme une confédération athénienne, connue sous le nom de « Ligue de Delos », pour continuer le combat contre les Perses. Sparte se retire du conflit, dont la direction est confiée aux Athéniens.

471 AVANT JÉSUS-CHRIST

Lors de la condamnation de *Thémistocle* à l'ostracisme, le parti populaire, qui avait mené la politique d'Athènes depuis plus de dix ans, subit un grave revers face aux groupes aristocratiques, dirigés par *Cimon.*

469 AVANT JÉSUS-CHRIST

Socrate naît à Athènes (469-399 av. J.-C.). Son influence fut essentielle à l'évolution de la philosophie grecque.

464 AVANT JÉSUS-CHRIST

Un terrible tremblement de terre détruit une bonne partie de Sparte. Profitant de la situation, les hilotes de la Messénie se révoltent. Devant la gravité de la situation, les Spartiates demandent de l'aide à Athènes. Cimon obtient l'autorisation de partir avec des secours militaires, mais les Spartiates lui ordonnent de retourner chez lui. L'incident est exploité par le parti populaire, dirigé alors par *Ephialtès,* pour discréditer Cimon qui se trouve condamné à l'ostracisme (461 av. J.-C.).

460 AVANT JÉSUS-CHRIST

Une fois Cimon écarté du pouvoir, Ephialtès put imposer une série de réformes démocratiques, diminuant notamment les pouvoirs de l'Aréopage au profit de l'Assemblée populaire ; mais il fut assassiné. La conduite du parti populaire est alors assumée par Périclès, qui va diriger la politique athénienne jusqu'à sa mort, en 429 av. J.-C. Naissance d'*Hippocrate* (vers 460 - vers 377 av. J.-C.).

459 AVANT JÉSUS-CHRIST

Athènes envoie une puissante expédition en Egypte pour soutenir une révolte antiperse. L'entreprise débouchera sur un désastre absolu, en 454 av. J.-C.

456 AVANT JÉSUS-CHRIST

Mort d'*Eschyle,* le véritable créateur de la tragédie antique, né vers 525 av. J.-C.

451 AVANT JÉSUS-CHRIST

Rentré d'exil, Cimon lance une expédition athénienne contre Chypre, alors sous domination perse.

Bien qu'il y trouve la mort, la flotte athénienne parvient à vaincre les Perses devant l'île.

449 AVANT JÉSUS-CHRIST

Athènes et la Perse signent ce qu'on appelle la « Paix de Callias » : les Perses reconnaissent l'indépendance des Grecs en Asie et laissent Athènes maître de la navigation en Mer Egée. Fin des guerres médiques.

447 AVANT JÉSUS-CHRIST

Débuts de la construction du Parthénon, qui fut terminé en 438 av. J.-C.

445 AVANT JÉSUS-CHRIST

Périclès est nommé *stratège* (magistrat). Cette fonction, pour laquelle il fut réélu chaque année jusqu'à sa mort, fut la seule qu'il remplit durant toute sa carrière politique.

433 AVANT JÉSUS-CHRIST

Corcyre, aujourd'hui Corfou, se soulève contre Corinthe et obtient l'appui d'Athènes. Corinthe, alliée à Sparte, demande alors l'aide de la Ligue péloponnésienne ou Ligue du Péloponnèse. L'affrontement entre les grandes puissances semble imminent.

431 AVANT JÉSUS-CHRIST

Débuts de la guerre du Péloponnèse. Les Spartiates envahissent l'Attique, vidée de sa population car celle-ci s'est réfugiée à Athènes.

429 AVANT JÉSUS-CHRIST

Périclès meurt, victime de la peste qui s'est déclarée à Athènes, assiégée par les Spartiates. Malgré cette situation difficile, Athènes résiste aux assauts, pendant que sa flotte attaque avec succès les positions spartiates sur les côtes du Péloponnèse, occupant plusieurs villes.

424 AVANT JÉSUS-CHRIST

Pour détourner la flotte athénienne qui dévaste les côtes du Péloponnèse et couper les voies de ravitaillement d'Athènes, le roi spartiate *Brasidas,* à la tête d'une armée, attaque Amphipolis et les colonies grecques de la péninsule chalcidique et de Thrace. Les Athéniens envoient une expédition commandée par *Cléon,* qui affronte Brasidas mais il est battu. Les deux chefs meurent dans la bataille.

421 AVANT JÉSUS-CHRIST

La mort de Brasidas et de Cléon, partisans de la guerre, facilite les négociations entre Athènes et Sparte. Finalement, la paix est signée, qui met un terme provisoire aux hostilités.

415 AVANT JÉSUS-CHRIST

Athènes envoie une puissante expédition en Sicile pour attaquer Syracuse. *Alcibiade,* un de ses chefs et principal promoteur de l'entreprise, est accusé de sacrilège : il fuit et se réfugie à Sparte.

413 AVANT JÉSUS-CHRIST

Les Athéniens sont vaincus en Sicile. L'expédition se solde par un échec total. Les Spartiates envahissent l'Attique et installent une garnison à Décélie, dans les environs d'Athènes.

412 AVANT JÉSUS-CHRIST

Soutenus par Sparte et financés par les Perses, d'importants alliés d'Athènes, comme Eubée, Lesbos, Chios et Milet, se révoltent. Des négociations s'établissent dans le but d'un accord entre les Spartiates et les Perses. Ceux-ci vont fournir l'argent nécessaire pour que Sparte s'arme d'une puissante flotte.

410 AVANT JÉSUS-CHRIST

Victoire athénienne à Cyzique. Les années suivantes, les Athéniens reprennent le contrôle de la Thrace et obtiennent quelques victoires importantes, comme celle des îles Arginuses, en 406 av. J.-C.

405 AVANT JÉSUS-CHRIST

La flotte spartiate, équipée avec l'aide des Perses et commandée par *Lysandre,* un habile général, réussit à battre définitivement les Athéniens dans la bataille de l'Aigos-Potamos. En conséquence, Athènes perd le contrôle des routes maritimes.

404 AVANT JÉSUS-CHRIST

Assiégée par mer et sur terre, Athènes doit se rendre aux Spartiates qui imposent de lourdes conditions aux vaincus. Sparte devient alors le nouveau maître de la Grèce.